Mňam dobrůtka! Pojd'me jís

Yum! Let's Eat!

Thando Maclaren
Illustrated by Jacqueline East

Czech translation by Vladislava Vydra

Mantra Lingua

Já jsem Maria a moje
maminka dělá těstoviny se
zeleninovou omáčkou.
Mňam! Moje oblíbené!

I'm Maria and my mama's
making pasta primavera.

Yum

Yum

Yummy!

My favourite!

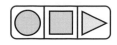

Jmenuji se Gabriela. Moje rodina má ráda pálivé mexické placky s chilli. Mňam! Moje oblíbené!

My name's Gabriela. My family loves eating hot, spicy chilli and fajitas.

Yum

Yum

Yummy!

My favourite!

Jmenuji se Khaled. Když jdeme na návštěvu k babičce, jíme kuskus a dušené jehněčí servírované v keremické misce se specielním víčkem. Mňam! Moje oblíbené!

I'm Khaled. We eat couscous and lamb tagine when we visit Grandpa.

Yum

Yum

Yummy!

My favourite!

Já jsem Agata a moje babička dělá pro mě a mojí sestru jídlo begos, dušené maso.
Mňam! Moje oblíbené!

My name's Agata. My granny is making her special bigos for me and my big sister.

Yum
    Yum
        Yummy!

My favourite!

Já jsem Dwayne a rád jím rýži a
hrášek s kozím karí.
Mňam! Moje oblíbené!

I'm Dwayne and I love eating
rice and peas with goat curry.

Yum

Yummy!

My favourite!

Jmenuji se Yi-Min. Maminka dělá narychlo smažené kuře a kukuřici. Mňam! Moje oblíbené!

My name's Yi-Min. My mum is making stir fry with chicken and baby corn.

Yum

Yum

Yummy!

My favourite!

Jmenuji se Abeba a moje rodina
má ráda egyptský chléb, injera, s
pálivým dušeným masem.
Mňam! Moje oblíbené!

I'm Abeba and my family loves
eating injera with spicy zigni.

Yum
   Yum
      Yummy!

My favourite!

Jmenuji se Aiko. S mým bratrem a sestrou jím nudle a suši. Mňam! Moje oblíbené!

My name's Aiko. I'm eating noodles and sushi with my brother and sister.

Yum
        Yum
                Yummy!

        My favourite!

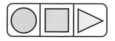

Já jsem Priti a moje babička dělá čočku a placky s jogurtovým mangem. Mňam! Moje oblíbené!

I'm Priti and my granny makes dhal and roti, with mango lassi for me and daddy.

Yum

Yum

Yummy!

My favourite!

Já jsem Karlík a jím s maminkou a tatínkem tradiční anglické jídlo, zapečené mleté jehněčí se zeleninou a bramborovou kaší navrch. Mňam! Moje oblíbené!

My name's Charlie. I'm having shepherd's pie with Mum and Dad.

Yum

Yum

Yummy!

My favourite!

Jmenuji se Yasin. Rád jím s mým tatínkem a starším bratrem kebab a plněnou zeleninu. Mňam! Moje oblíbené!

I'm Yasin and I love eating kebabs and dolma with Daddy and my big brother.

Yum
Yum
Yummy!

My favourite!

 Turkey

 Poland

 India

 Mexico

 Jamaica

 Japan

 Italy

 Morocco

 Ethiopia

 UK

 China